KB077239

귀여운 동물과 꽃의 콜라보레이션 컬러링북은
귀여운 동물과 아름다운 꽃이 만나는 환상적인 조
합을 주제로 합니다. 너구리와 나팔꽃부터 홍매와
파랑새에 이르기까지, 다양한 자연의 조합이 각
페이지마다 독특한 장면을 담고 있어, 색칠하는
동안 자연의 아름다움과 동물의 매력에 빠져들 수
있습니다.

목 차

나팔꽃과 너구리

능소화와 새

해바라기와 잠자리

금낭화와 오리

수선화와 토끼

겹동백꽃과 새

도라지와 너구리

민들레와 다람쥐

맨드라미와 강아지 1

목련과 올빼미

코스모스와 사슴

팬지와 고슴도치

매꽃과 파랑새

맨드라미와 강아지 2

코스모스와 올빼미

난초와 청개구리

사루비아와 고양이

나리꽃과 까치

작약과 벌

연꽃과 청개구리

양귀비와 호랑이

복수초와 새

앵두꽃과 부엉이

원추리와 수달

초롱꽃과 거위

프리지어와 판다

개나리와 원숭이

모란과 토끼

앵초와 햄스타

앵초와 햄스타

노루귀와 코알라

각시붓과 사막여우

어저귀와 당나귀

강아지풀 고라니

구절초와 사마귀

더덕꽃과 박쥐

도라지꽃과 곰

메꽃과 하이에나

솜방망이꽃과 퓨마

은방울꽃과 오랑우탄

조팝꽃 무당벌레

참나리꽃과 뻐꾸기

처녀치마꽃과 나비

처녀치마꽃과 나비

연꽃과 백조

투구꽃과 달팽이

할미꽃 독수리

진달래와 새

과꽃과 고양이

산자고와 나무늘보

개나리와 쥐

능소화꽃과 새

홍매와 파랑새

귀여운 동물과 꽃의 콜라보레이션 컬러링북

발행일 │ 2024년 2월 07일
발행처 │ 그린놀크 발행인 │ 정영주
출판등록 │ 2021.7.6.(제2021-000097호)
주소 │ 경기도 파주시 가온로 67
이메일 │ greenplay88@naver.com
도서문의 │ 070-8615-5873
ISBN │ 979-11-975312-3-1